D1195283

8 récits illustrés par marcel marlier

Le poussin inattendu
Martine fait du camping
Martine fait ses courses
Martine prend le train
Follet, le petit chat
Jean-Lou et Sophie au bord de la rivière
Jean-Lou et Sophie à la montagne
Jean-Lou et Sophie au jardin de lilliput

http://www.casterman.com
D'après les personnages créés par Gilbert Delahaye et Marcel Marlier / Léaucour Création.
ISBN 978-2-203-10717-5

© Casterman 2004
Droits de traduction et de reproduction réservés pour tous pays. Toute reproduction, même partielle, de cet ouvrage est interdite. Une copie ou reproduction par quelque procédé que ce soit, photographie, microfilm, bande magnétique, disque ou autre, constitue une contrefaçon passible des peines prévues par la loi du 11 mars 1957 sur la protection des droits d'auteur.

Le poussin inattendu

LOUISE BIENVENU-BRIALMONT - MARCEL MARLIER

Marc et Vivette ont été au marché avec Maman.
— Regarde, Papa, ce que nous avons rapporté.
— Un lapin vivant ! Il est tout jeune.
— N'est-ce pas qu'il est joli ?
— Très joli. Mais nous n'avons pas de clapier.
— Nous le mettrons avec les poules, dit Maman ; les poules et les lapins ne se mangent pas entre eux.
— Nous l'appellerons Pinou, décide Vivette.

Les enfants déposent Pinou par terre dans l'enclos où les poules se promènent.

Toutes les poules accourent aussitôt :

— Oh ! quelle drôle de bête !

— D'où viens-tu ? dit la poule blanche.

— Comment t'appelles-tu ? dit la noire.

— Pourquoi n'as-tu ni plumes, ni crête ?

— Ni queue, ni bec ?

Pinou ne dit rien.

Il ne connaît pas le langage des poules.

— Sera-t-il gentil pour nous ? s'inquiète une poule.

— Il n'a pas l'air méchant, remarque une autre.

— En grandissant, ne deviendra-t-il pas dangereux ?

— C'est peut-être une espèce de chat, dit la pintade effrayée. Il a un pelage luisant comme Minet.

— Ne craignez rien, dit le coq qui est plus vieux et plus instruit que les poules, ce n'est pas un chat. Les chats font la guerre aux poules ; c'est pourquoi Marc ne laisse jamais Minet venir chez nous. Celui-ci est un lapin. Il ne vous fera aucun mal.

Vivette jette du grain aux poules qui se précipitent.

Pinou regarde d'un air étonné, un peu inquiet :

— Qu'est-ce que c'est que ces petites choses jaunes, rondes et dures que les poules semblent trouver si bonnes ? Moi je ne peux pas manger cela.

Me donnera-t-on autre chose ?

Heureusement, voici Marc avec une pleine corbeille de verdure. Il y en a pour les poules et pour Pinou, et celui-ci reçoit encore deux belles carottes.

Le soir, les poules montent par une petite échelle vers une ouverture qui intrigue beaucoup Pinou. Elles y pénètrent l'une après l'autre et disparaissent. Sûrement, elles sont allées se coucher.

— Que vais-je faire ? pense Pinou. Je ne sais pas grimper.

Marc lui apporte une caisse avec de la paille.

Pinou s'y endort.

— Cocorico !

C'est le coq qui réveille les poules. Il réveille aussi Pinou. Le jour se lève à peine.

Pinou a froid. Il n'a pas très bien dormi. Malgré son pelage, il frissonne sous la rosée.

Il réfléchit :

— Je vais faire comme mes cousins qui habitent la campagne. Je vais me creuser un terrier.

Il s'oriente et se met aussitôt à l'ouvrage.

— Viens voir ce que fait Pinou, dit Vivette à Papa.

— Parbleu ! Vivi, ton Pinou me paraît en train de creuser un terrier. Laissons-le faire. On verra bien.

Pinou s'est fait un gîte bien confortable ; un couloir qui descend dans la terre et qui aboutit à une belle petite chambre où Pinou peut se coucher à l'aise, à l'abri du vent, du froid, de la pluie.

Au bout de quelques jours, les poules sont habituées à Pinou. Elles le regardent sauter, grignoter.

— Il est gentil, disent-elles, c'est dommage qu'il ne parle pas.

De son côté, Pinou les regarde se chamailler, gratter la terre, battre des ailes et caqueter sans arrêt.

— Elles sont gentilles, mais un peu trop bavardes.

Il y a encore une chose qui étonne Pinou : tous les jours, les poules vont déposer d'étranges choses blanches dans un grand panier.

Ces choses-là doivent être précieuses.

Chaque soir, Vivette vient les chercher. Elle les emporte avec précaution et on voit bien qu'elle est contente. Ce sont des œufs.

La poule jaune est en colère. Elle crie très fort :
— J'ai pondu ! Je vous dis que j'ai pondu un œuf !
— Si tu l'avais pondu, on le verrait.
— Je l'ai pondu ! Où est-il ? Qui l'a pris ? Il était là, par terre, près du trou de Pinou.
— Pourquoi pas dans le pondoir ? dit le coq.
— Il n'était pas libre et j'étais pressée.
On n'a pas retrouvé l'œuf.
Pinou n'a rien vu ni entendu. Il dort au soleil.

Le soir, en rentrant dans son gîte, savez-vous ce que Pinou y a trouvé ? Un œuf. Il en est ravi.

— Oh ! se dit-il, ces poules ont vraiment bon cœur. Chaque jour, elles donnent des œufs à Vivette, et ce soir elles ont aussi pensé à moi. Comment les remercier ? Je ne parle pas. J'irai les saluer demain.

Le lendemain, en s'éveillant, Pinou, tout joyeux, revoit son œuf, le contemple, l'admire.

Puis il fait soigneusement sa toilette avant de sortir. Il s'approche des poules, il essaie d'attirer leur attention, il saute, il salue. Peine perdue : elles ne le regardent même pas.

Alors Pinou prend peur :

— Peut-être qu'elles ont changé d'idée et qu'elles vont venir me reprendre mon bel œuf. Je vais faire bonne garde.

Les jours passent. Il fait chaud.

Le bel œuf est toujours dans le terrier.

Toute la journée, Pinou reste auprès de son trou.

La nuit, dans sa petite chambre, il se couche en faisant bien attention de ne pas écraser l'œuf. Il croit qu'il va le garder toujours.

Trois semaines passent.

Pinou s'éveille et dresse l'oreille, inquiet :

Quel est ce bruit ? Tac, tac, tac. On dirait que c'est dans l'œuf.

On dirait même que l'œuf bouge… Mais oui !

Maintenant voilà que le bel œuf éclate en morceaux.

Il en sort un petit animal que Pinou ne connaît pas : pas plus gros qu'une pomme, avec un bec et des pattes, tout jaune, et qui fait : piou, piou.

C'est un poussin. Pinou n'en revient pas.

Que faire ? Il se décide à sortir. Le poussin le suit.

Ce matin, Vivette et Marc apportent du grain pour les poules et un beau trognon de chou pour Pinou.

— Pinou n'est pas là. Pas encore levé ? dit Marc.

— Regarde, il sort de son trou. Mais… mais…

Les enfants ouvrent de grands yeux.

— Maman, maman, viens vite ! Pinou a un poussin !

— Un poussin ? Pinou ? Vous rêvez.

— Non ! nous les avons vus sortir ensemble.

Les poules sont furieuses.

Elles ne veulent pas du poussin qu'aucune d'elles n'a couvé. Elles le pourchassent à coups de bec.

— Vite, dit Maman, emportons-le à la cuisine.

— Et allons raconter à Papa, dit Vivette.

— Je crois bien, dit Papa, que c'est Pinou qui a couvé ce poussin-là. L'œuf sera tombé au fond du terrier ; il y fait assez chaud.

— Nous devrons l'élever dans la maison, dit Maman.

Pendant bien des jours, on a donné au poussin du pain trempé dans du lait, du riz bien cuit.

Maintenant, il a grandi. Il peut manger du grain, des vers, de la verdure.

— Il est assez fort, dit maman. Remettons-le avec les poules ; elles ne le pourchasseront plus.

Pinou n'a rien compris. Il ne sait pas qu'un œuf tenu au chaud pendant vingt et un jours donne naissance à un poussin et que c'est le poussin lui-même qui brise l'œuf pour en sortir.

Pinou a poussé hors du terrier les débris de l'œuf.

Pendant trois jours, il a réfléchi. Puis il a oublié.

martine
fait du camping

GILBERT DELAHAYE - MARCEL MARLIER

MARLIER

Le long de la grand-route, une voiture vient de s'arrêter. C'est Martine et Jean qui s'en vont faire du camping avec leurs parents. On dirait qu'ils ont perdu leur chemin. Qui pourra les renseigner ?

– Ah ! voici un poteau indicateur.

– C'est par là, dit Martine.

Et la voiture démarre dans un nuage de poussière.

Bientôt, ils arrivent au village. Un village coquet avec son église, son école, son auberge et ses maisons assises autour de la place.

Justement, c'est le jour du marché. Voici Monsieur le maire qui vient vendre ses canards, le panier sous le bras, la pipe à la bouche.

Il lève sa canne pour indiquer la route :

– Fleury-la-Rivière ? Mais vous y êtes ! Vous y êtes ! Et le Carré-du-Petit-Bois, c'est là-bas… juste derrière la ferme blanche.

Le moteur ronfle. Un chemin poussiéreux, un pont de bois qui craque, et l'on est arrivé au Carré-du-Petit-Bois de Fleury-la-Rivière.

Le papa de Martine range l'auto sous les arbres. On décharge les bagages.

– Maintenant, dressons la tente.

Pan, pan, pan, les piquets s'enfoncent dans la terre. Les cordes se tendent… Il fait chaud !

La tente de Martine est en place.

N'est-ce pas qu'elle est jolie ? On dirait une maison de poupée.

Thérèse et Dominique, les filles de la ferme, sont venues l'admirer. Elles voudraient bien en avoir une pareille pour s'amuser pendant les vacances.

– Est-ce que je peux entrer ?

– Bien sûr, la porte est ici. Il y a une fermeture éclair.

– Et voilà notre matelas pneumatique.

– Tu en as de la chance, dit Thérèse. Nous autres, à la ferme, nous avons un lit de plumes. On a trop chaud. Alors, on ne peut pas dormir et on raconte des histoires.

– Voulez-vous m'aider à ouvrir le parasol ?

– Mais oui. Où va-t-on le mettre ?

– Ici, près de la tente.

– Un peu de musique, à présent. Voici le poste de radio.

– Peut-on le faire marcher ?

– Oui, mais il ne faut pas l'abîmer. Il suffit de tourner le bouton. Écoutez…

– Eh là ! dit un merle en se posant sur une branche, il y a de la musique par ici. Moi, je trouve ça drôle. Dans le petit bois, tous les oiseaux se taisent. Un lièvre, occupé à grignoter une tige de pissenlit, lève le nez, dresse l'oreille.

Le Carré-du-Petit-Bois est un coin épatant.

Ici on peut faire de la gymnastique à son aise. Par exemple, jouer à saute-mouton, marcher à quatre pattes ou bien faire la culbute.

Savez-vous faire la culbute ? Regardez comment il faut s'y prendre :

– Un, deux, trois, et voilà !
Quel plaisir de se rouler dans l'herbe !

Martine préfère courir après les papillons à l'entrée du champ de blé.

En voici un bleu, un grenat avec des taches noires sur les ailes, un jaune qui danse dans le soleil.

Parfois, l'un d'eux se pose sur un bleuet. Martine s'approche doucement, doucement… Elle va l'attraper…

Trop tard ! Il s'est envolé.

Maman frappe des mains.

– Nous allons préparer le dîner.

Jean va chercher de l'eau à la fontaine dans sa cruche de plastique. Papa allume le réchaud. Martine étale la jolie nappe rouge, prépare les assiettes et les gobelets. Jamais elle n'a travaillé d'aussi bon cœur.

C'est tellement amusant de pique-niquer !

– À table, les enfants ! dit le papa de Martine.

Chacun s'assied sur l'herbe. Le dîner est excellent, et l'on mange de bon appétit.

– Voilà des campeurs qui se régalent, disent les moineaux espiègles. Allons-y voir. Peut-être qu'ils nous laisseront quelques miettes ?... Tiens, ce petit chien n'a pas l'air content du tout.

– Attendez qu'il s'en aille, dit le plus vieux de la bande. Il pourrait se fâcher. Vous n'avez donc point de patience ?

Après le dîner, Martine et Jean vont pêcher à la rivière avec leur papa.

Si vous saviez comme c'est reposant de se promener en barque au milieu des nénuphars !

Martine regarde une araignée qui s'amuse à courir sur l'eau. Là, dans les roseaux, un poisson vient d'attraper une mouche.

Martine, Jean et leurs parents ont passé la nuit sous la tente. Le lendemain matin, quand le soleil se lève, ils dorment encore tous les quatre.

C'est l'heure où les oiseaux secouent leurs plumes.

– Ohé, les amis, il est temps de s'éveiller !

– Cocorico ! Cocorico !

C'est le coq de la ferme qui est perché sur la voiture. Et voici le petit veau qui voudrait bien savoir ce qu'il y a dans la tente.

Patapouf, lui, est éveillé depuis longtemps. Pensez donc, quand on a des fourmis dans les pattes, ce petit air frais vous donne envie de gambader. L'herbe est toute luisante de rosée.

– Hep là-bas, lapin ! Où vas-tu si vite ? Attends un peu que je coure après toi !

– Je n'ai pas le temps. Il faut que j'aille déjeuner !

Impossible de dormir avec un tel remue-ménage dans la campagne.

Mieux vaut se lever de bon matin.

– Allons chercher le lait à la ferme, dit Martine à son frère Jean.

La route traverse les champs. L'air embaume le trèfle et la luzerne. L'alouette monte droit dans le ciel éblouissant de soleil.

Et voici qu'en chemin, Martine et Jean rencontrent Picot, le hérisson, qui fait sa promenade matinale.

Au retour de la ferme, Martine et son frère font leur toilette au bord de la rivière. Thérèse les accompagne.

– Brr... que l'eau est froide !

– Je vais lessiver la robe de ma poupée, dit Martine. Je la mettrai sécher au soleil.

Paf ! Voilà Patapouf dans l'eau ! Heureusement, il nage comme un poisson !

– Holà là, comme il nous éclabousse !

Mais que se passe-t-il ? Pendant l'absence de Martine, le petit veau a bu tout le lait du déjeuner.

Patapouf se met à lui mordre la queue pour lui donner une correction.

– Wouah, wouah, qu'est-ce que tu as fait là ?

– Vous parlez d'une histoire pour un litre de lait, se dit le petit veau.

Et là-dessus il détale à travers la prairie. Tout le monde court après lui.

On le rattrape. On l'attache au bout du pré. Voici une corde, un pieu, un maillet…

– Maintenant, tu resteras tranquille, n'est-ce pas ? Sinon, le fermier viendra te chercher et t'enfermera dans l'étable.

Ainsi finit cette belle histoire. Le petit veau ne fera plus de bêtises. Et l'on s'amusera bien toute la journée dans le Carré-du-Petit-Bois.

martine
fait ses courses

GILBERT DELAHAYE - MARCEL MARLIER

Ce matin, la maman de Martine lui a demandé d'aller faire les courses au supermarché.

— Surtout, fais attention à ton petit frère. Et ne perds pas la monnaie. Papa viendra vous chercher à la sortie.

Donc voilà Patapouf, Martine et son petit frère Philippe à la porte du magasin.

Au supermarché, il y a de la lumière partout, de la musique... et des marchandises pour toutes les bourses.

— Allons voir les jouets, dit Martine.

Au rayon des jouets, on distribue des ballons, on vend des souris mécaniques, des poupées qui parlent, des canards qui boitent.

— Moi, demande Philippe, je voudrais bien acheter l'avion à réaction.

— Voici un avion... et un ballon rouge pour le petit garçon, dit la vendeuse.

Il y a beaucoup de monde, le samedi, dans les grands magasins. On va d'un rayon à l'autre. On s'arrête. On repart. Patapouf finit par se perdre.

Les gens portent des sacs, des paniers, des cannes, des parapluies.

— Voilà un petit chien qui a eu une bonne idée. Il a mis des roulettes. Il porte un bien joli collier. Bonjour. Tu n'as pas vu Martine par ici ?

Martine est au rayon des disques avec son frère.

— Je voudrais écouter le « Chat botté », dit Philippe à Martine.

La vendeuse a mis le disque sur le plateau.

— Je n'entends rien dans l'écouteur, dit Philippe.

Bientôt c'est la rentrée des classes. Il faut beaucoup de choses pour aller à l'école. Afin de ne rien oublier, Martine a tout inscrit sur son bloc-notes. Elle a dressé la liste avec sa maman : une ardoise pour Philippe, le petit frère. Deux cahiers pour Jean et une boîte d'aquarelles. Pour Martine, une trousse avec des crayons de couleurs, deux bics (un rouge et un bleu), une gomme, un taille-crayon, et pour papa, cinquante enveloppes.

On passe auprès de la nursery.

Là, on s'amuse bien. Le cheval à bascule galope.

Mais il a beau se dépêcher, se dépêcher, il reste toujours à la même place.

Un peu plus loin, le manège ne demande qu'à se mettre en route. On y voit un chameau et une girafe.

— Ils ne vont pas si vite que mon petit âne, dit Philippe en tirant sur la bride.

Martine a fière allure sur son cheval blanc.

Au rayon de la bijouterie, on vend des colliers de perles fines, des boucles d'oreilles, des bracelets, des broches, des montres.

— Voici un joli collier, dit la vendeuse.

— Je préfère celui-là dans la vitrine. Je vais l'acheter pour faire une surprise à maman, répond Martine.

— Ce collier doit coûter plus cher que le mien, pense Patapouf. J'en ferais trois tours autour du cou.

— Le rayon des robes, s'il vous plaît ?

— Au premier étage, mademoiselle.

— Chic, on va prendre l'escalier roulant, dit Philippe en battant des mains.

— Non, pas celui-ci... C'est celui qui descend.

— ... Voilà celui qui monte.

Sautons sur la première marche. Il ne faut pas la manquer. Nous voilà partis.

N'est-ce pas que c'est amusant ?

Quel dommage, on arrive déjà... Attention !

Voici un choix de robes pour Martine.

— Voulez-vous essayer celle-ci ?

— Oui, je crois qu'elle m'ira.

— Elle est juste à votre taille.

— Est-ce que je peux voir dans le miroir ?

— Mais bien sûr, répond la vendeuse.

— Vous avez raison. Je suis très bien avec cette robe, dit Martine en se retournant vers la glace.

— Cette dame a l'air de me regarder d'une drôle de façon, pense Patapouf.

Il réfléchit :

— Peut-être bien qu'elle va me donner un sucre...

Il approche doucement.

— Ma parole, on dirait qu'elle dort debout.

— Mais voyons, Patapouf, c'est un mannequin.

Au rayon de l'épicerie :

— C'est par ici qu'on entre? demande Patapouf.

— Bien sûr, dit Philippe. Tu n'y connais rien. Il faut passer par les tourniquets... On va s'amuser à les faire tourner. Regarde comme ils marchent bien. On se croirait sur les manèges. Attention, tu pourrais tomber et te casser une patte!

Martine regarde sa montre :

— Dépêchons-nous, dépêchons-nous, papa va nous attendre à la sortie.

— Que vas-tu faire avec cette poussette? demande le petit Philippe, toujours curieux.

— Ce n'est pas une poussette, c'est un chariot pour mettre les marchandises.

— Est-ce que je peux le conduire?

— Non, tu es trop petit. Assieds-toi là avec Patapouf. Et sois bien sage.

Il en faut des choses à la maison pour faire la cuisine : du café, du sucre, de la farine, du sel, des légumes, des oranges, des pommes.

— Où sont les boîtes de petits pois ?

Là-haut sur l'étagère.

— Et le lait concentré ? Et la semoule ?

Voici des caramels au choix. Il en faut 250 grammes... et une livre de biscuits.

Le chariot se remplit à vue d'œil.

Tout ce qu'on achète, on doit le payer à la caisse.

— Aide-moi, veux-tu, demande Martine à Philippe.

On empile sur le comptoir le café, le sucre, la farine, le sel, les légumes, les oranges, les pommes, les petits pois, le lait concentré, la semoule, les caramels et les biscuits. La caissière contrôle les marchandises. Elle met sa machine en route... Voici l'addition.

Martine paie et vérifie sa monnaie.

Avant de quitter le magasin, Martine, Philippe et Patapouf sont allés se faire photographier à l'appareil automatique.

Attention, ne bougeons plus !

L'appareil se met en route.

Une, deux, trois, c'est terminé.

Que pensez-vous du résultat ?

Martine est réussie, n'est-ce pas ?

Philippe et Patapouf sont très bien aussi. Maman sera surprise quand on lui fera voir ces jolies photos.

Les courses terminées, on se retrouve à la sortie du magasin. Le panier de Philippe est rempli jusqu'au bord. Martine a les bras chargés de marchandises... Et ce ballon est bien encombrant.

— Je vais vous aider, dit Patapouf en sautant de joie sur ses pattes de derrière.

— Non, tu feras encore des bêtises.

Enfin, voilà papa qui arrive avec la voiture. Tout le monde est content de retourner à la maison.

martine
prend le train

GILBERT DELAHAYE - MARCEL MARLIER

Martine, Jean et Patapouf vont prendre le train samedi.

– À quelle heure y a-t-il un départ pour Dieppe ?

– Cela dépend des jours. Allons consulter les horaires…

– Tu vois, papa, il y a un train le matin à 11 h 57.

– Oui, sauf le samedi. Vous prendrez donc celui de 13 h 40.

– Quel tableau compliqué ! Que signifient tous ces signes ?

– Regarde, Martine. C'est expliqué ici. Ce train ne circule que les dimanches et les jours de fête. Celui-ci est supprimé le samedi. Et celui-là comporte une voiture-restaurant.

Le jour du départ, les parents de Martine sont venus accompagner les enfants jusqu'à la gare.

– Deux billets pour Dieppe, a demandé papa au guichet.

– Quel dommage que papa et maman ne soient pas libres ! On aurait fait le voyage ensemble.

– Quand le train part-il ?

– Dans un quart d'heure exactement. Voilà vos billets. Ne les perdez pas. On vous les réclamera.

– Papa, où est le train pour Dieppe ?

– Votre train part du quai numéro 5. Vous devez changer à Amiens. Ne l'oubliez pas !

– Tu viendras nous rejoindre, maman ?

– Bien sûr. Je vous écrirai.

– Nous allons dormir dans une voiture-lit ?

– Mais non, Patapouf ! Ce soir, vous serez arrivés. Ce n'est pas un si long trajet.

Voici un chariot électrique. Il transporte les bagages sur le quai.

– Tiens, une bicyclette qui voyage !... Mais c'est la mienne ! s'écrie Martine.

– Oui, je l'ai fait enregistrer au bureau des marchandises. À ton arrivée, tu la retrouveras.

Quai numéro 5. Le train « Corail » attend les voyageurs. Un mécanicien jette un dernier coup d'œil sur la motrice électrique : une machine toute neuve qui ne demande qu'à foncer. Et puissante, avec ça ! On dirait un monstre avec ses butoirs et ses gros phares. Dans sa cabine, le chauffeur lève la main :

– Les amis, bonjour et… bon voyage !

Le chef de gare surveille sa montre, le bâton à la main. Ce n'est pas le moment de traîner. Vite, Martine !…

Martine et Jean sont installés dans le train. Ils ont trouvé une place à la fenêtre. Martine est très émue : c'est la première fois qu'elle voyage seule avec son frère.

Papa et maman sont restés sur le quai. Dans quelques secondes, c'est le départ :

– Soyez prudents ! crie maman.

– Ne t'inquiète pas ! Tout ira bien... Au revoir !

– Téléphonez-nous aussitôt que vous serez arrivés.

Un coup de sifflet. Les portières claquent. On démarre, on prend de la vitesse. Les parents de Martine ont disparu dans la foule. Mais que se passe-t-il sur le quai ?
C'est un voyageur qui court après le train, cravate au vent, l'imperméable sur le bras. (Sans doute a-t-il fait la sieste ?)
Tant pis ! Il faudra qu'il attende le prochain départ.
Vous savez, on ne monte jamais dans un train en marche. C'est dangereux.

Un feu vert, des aiguillages, le train passe d'une voie sur une autre. On est un peu bousculés.

Martine fait connaissance avec les voyageurs :

– Nous allons à un mariage, dit un garçon.

– Je tricote pour la poupée de ma petite sœur, explique une fillette en comptant ses points.

Le monsieur en face de Martine, lui, ne dit pas un mot. Il est plongé dans les nouvelles du matin.

– Qu'est-ce qui est écrit là ? Ça doit être de l'allemand. Je n'y comprends rien… Tiens, une bande dessinée ! Voyons un peu. Lire dans le train, cela n'est pas toujours commode !

Ces deux musiciens voyagent de pays en pays à pied, en auto-stop et en chemin de fer.

– Vous n'êtes jamais fatigués ?

– On se repose par-ci par-là. Et vous ?

– Nous ? On va chez des cousins qui habitent au bord de la mer.

Le train file à travers la campagne. Par la vitre, on aperçoit un village, une église. Des chevaux, un poulain galopent dans un pré. Le toit d'une maison luit parmi le feuillage. Au loin, des vergers, des prairies, des collines à perte de vue.
Cette route entre les arbres, où conduit-elle ?
On aimerait vivre avec les gens de ce pays…

Mais la machine emporte les voyageurs à toute vitesse. On dirait qu'elle ne va plus jamais s'arrêter. L'horizon fuit. Voici d'autres champs, d'autres villages. On a beau dire, ça fait une drôle d'impression de se trouver si loin de la maison ! Martine pense à papa et à maman. Jean est un peu inquiet :

– Les cousins viendront-ils nous chercher à la gare ?

– Vos billets, s'il vous plaît ? demande le contrôleur.

Il renseigne les voyageurs. Il vérifie les billets.

– Où est le mien ? Dans ma poche ? Dans mon sac ? Est-ce que je l'aurais perdu ?… Ouf ! Le voici !…

– Vous devez changer de train à la prochaine gare, dit l'employé des chemins de fer. Sinon, mes enfants, vous n'arriverez pas à la mer aujourd'hui.

Il est aimable, le contrôleur. Il ne demande qu'à rendre service. Il connaît les horaires presque par cœur.

À l'arrêt suivant, les enfants descendent.

Oh ! la ! la ! que ces bagages sont encombrants !… Et Patapouf qui ne veut pas rester tranquille ! Il court à droite, à gauche.

– Vite, vite, le train va repartir !

– Pose le sac par terre, Martine. Je te passerai le voilier et le filet de pêche.

Il ne s'agit pas de manquer la marche. Heureusement, les voyageurs ne sont pas nombreux à cette heure de la journée.

– Monsieur… l'autorail pour Dieppe ?

– De l'autre côté du quai, a répondu le contrôleur. Mais on ne traverse pas les voies. Il faut emprunter la passerelle.

La passerelle ? Nous y voilà. On en voit des choses de là-haut ! Des rails qui s'enchevêtrent. Des signaux qui s'allument, qui bougent. La cabine de l'aiguilleur. Des machines qui manoeuvre.
On a le temps de flâner : l'autorail ne part que dans une heure.

– Pas d’accord ! se dit Patapouf.

Il est pressé de partir. Manquer l’autorail ? Ce serait trop bête, n’est-ce pas ?

– Hop ! je saute… Vous me suivez, oui ou non ?

– Ici, on embarque les marchandises. Il faut monter avec les voyageurs comme tout le monde, petit nigaud !

On voit bien que Patapouf n’a jamais pris le train.

– Descends de là tout de suite, sinon je me fâche !

– Je ne peux pas. J’ai mal à la patte.

Ce petit chien, tout de même, quel têtu !

À l’heure juste, le convoi démarre et le voyage continue…
Mais l’autorail n’est pas un express. Il prend tout son temps. Un arrêt, deux arrêts. Une dame entre dans la voiture :
– Bonjour, les enfants ! Je peux m’asseoir à côté de vous ?
– Oui, bien sûr !
On l’aide à placer sa valise.
– Et ce paquet, madame, faut-il le mettre aussi dans le filet ?
– Non, merci ! Je préfère le garder sur mes genoux.

– C’est fragile !… Votre chien n’est pas méchant, je suppose ? demande la dame.
Elle soulève le couvercle du carton avec précaution :
– Je vais vous montrer ce qu’il y a là-dedans… C’est un chaton. N’est-ce pas qu’il est mignon ? Une surprise pour mon neveu. Vous savez, cette petite bête ne prend pas beaucoup de place… On n’en finit pas de parler tandis que l’autorail roule, roule. C’est tellement plus agréable de voyager ainsi ! Le temps passe vite quand on bavarde.

Un coup, deux coups d'avertisseur. L'autorail de Martine entre en gare. C'est la fin du voyage.

Au bout du quai, le cousin, la cousine attendent Martine et Jean avec impatience :

– L'autorail !… Je l'aperçois là-bas !

– Mais non, ce n'est pas celui-là !

– Qu'est-ce que tu paries ?

– Tu as raison. C'est lui. Voici l'autorail de Jean et de Martine !… Ils arrivent ! Ils arrivent !

Quel plaisir de se retrouver, cousins, cousines !
On en a des questions à poser ! « Le voyage s'est bien passé ?… » « Combien de temps restez-vous ?… » « Pourquoi n'êtes-vous pas venus plus tôt ?… »
La sortie de la gare est par ici. On se fraie un chemin dans la foule. Il faut encore prendre le car : quelques kilomètres de route à peine. Autant dire qu'on est arrivés… Ne pas oublier de donner un coup de fil à maman. Elle sera si contente !

follet
le petit chat

LUCIENNE ERVILLE - MARCEL MARLIER

MARLIER

Le petit chat Follet rêve, couché sur les pierres chaudes de la cour.

Un rayon de soleil lui chatouille le nez pour plaisanter. Bzz, bzz, fait une grosse mouche qui se croit un avion. Elle va, vient et repart. Follet bondit vers elle pour jouer… la mouche est loin.

Follet s'arrête et bâille. La cour est si petite ! Et puis, il y a le mur…

Follet n'aime pas le mur, il est très haut… Qu'est-ce qu'il peut bien y avoir de l'autre côté du mur ?

Il va vers l'échelle et grimpe prudemment. Le voilà tout en haut de l'échelle. Il se sent très grand, très fort, très… Oh !… il a bien failli tomber.

Maintenant, il faut atteindre le mur. Une… deux… et hop ! Follet se retrouve juste sur le faîte.

Que le monde est grand et beau ! Follet n'a jamais vu de jardin, et celui qu'il contemple est plein de fleurs. Il est si ravi qu'il en oublie d'être prudent, et le voilà qui glisse, perd l'équilibre et patatras… dans le massif de fleurs. Follet est tout étourdi.

Dans sa chute, il a bousculé trois capucines qui se redressent un peu froissées.

— Pardon, dit-il, j'habite à côté et je suis tombé du mur. Je m'appelle Follet, je suis un petit chat.

— Nous, on est des fleurs et on s'appelle Capucines, répondent trois petites voix en chœur.

Follet, remis de sa chute, salue les capucines très poliment et commence sa promenade dans le jardin. Il s'arrête devant un arbre superbe, couvert de fruits rouges.

L’arbre, qui a entendu la conversation avec les capucines, lui dit d’une voix grave :

— Bonjour, Follet. Il fait beau temps aujourd’hui.

— Bonjour, répond Follet. Tu es aussi une fleur ?

— Une fleur ? Ah ! ah !… Mais non, je suis un arbre et je m’appelle Pommier.

Follet est un peu vexé ; il remercie le pommier et continue sa promenade.

Follet arrive à un étang où nagent des poissons rouges. Il se penche sur l'eau. Comme c'est intéressant ! L'un des poissons sort la tête de l'eau et lui murmure d'une voix mouillée :

— Bonjour. Tu es nouveau dans le jardin ?

— Oui, je viens d'arriver…

Déjà le poisson rouge a replongé au fond de l'eau.

Follet songe encore au poisson quand il arrive à la niche de Puick, le petit chien. « Qu'est-ce que c'est que cette maison ?... » Puick dort, ses longues oreilles reposant sur ses pattes. Puick rêve qu'il a trouvé un os magnifique et qu'il le ronge. Follet regarde dormir Puick. « Ça, c'est un drôle de chat. » Pour mieux le voir, Follet se penche si près qu'il l'éveille.

Puick ouvre un œil, puis l'autre. Il n'a pas l'air content. Follet, très intéressé, demande :

— Qu'est-ce que tu es toi ? Moi, je suis le petit chat Follet.

— Tu ne vois donc pas que je suis un chien ?

— Tu t'appelles Chien ?

— Mais non, je *suis* un chien ! Je m'appelle Puick.

— S'il te plaît, ne te fâche pas, supplie Follet, je suis encore très ignorant, je ne connais que Monsieur Pommier et les fleurs Capucines. Si tu voulais m'expliquer les choses… On pourrait peut-être se promener ensemble ?

— D'accord, dit Puick radouci.

Et les voilà partis.

Pendant qu'ils se promènent, Follet demande :
— Est-ce que les chiens ronronnent ?
— Ah ! ah ! Puick rit aux éclats.
Follet le regarde étonné… Il questionne :
— Pourquoi ta queue se balance-t-elle comme ça ?
— C'est pour montrer que je suis content. Regarde.
Et Puick fait une-deux, une-deux avec sa queue, très vite. Follet s'amuse énormément. Puick aussi s'amuse d'avoir un petit ami si gentil et si ignorant.

Ils se dirigent ensemble vers l'étang.

— Cette bête, dans l'eau, elle est venue me parler, dit Follet.

— Ce n'est pas une bête comme nous, c'est un poisson rouge, répond Puick. Il ne faut pas faire de mal aux poissons rouges. Quand ils ont peur, ils vont se cacher au fond de l'eau et l'étang devient tout triste.

— Regarde, voilà Reinette-la-grenouille. Tu vas voir comme elle saute haut !

Reinette saute par-dessus les nénuphars.

— Bravo ! bravo ! s'écrient Puick et Follet ravis. Un poisson rouge, attiré par le bruit, veut, lui aussi, montrer son savoir-faire. Il plonge et fait éclater à la surface de l'étang des petites bulles toutes rondes et brillantes. Puick et Follet trouvent que c'est vraiment joli. Ils remercient Reinette et le poisson rouge, et promettent de revenir bientôt.

Ils arrivent au fond du jardin. Puick annonce :

— Attends ici. Je vais voir si Pointu-le-hérisson est chez lui.

Puick revient bientôt accompagné d'un animal très étonnant.

— Bonjour, Follet. Sois le bienvenu chez moi.

La voix de Pointu est douce et chantante.

— Attention, ne t'approche pas de mon manteau : il pourrait te blesser.

Follet se demande à quoi peut bien servir ce manteau piquant.

— C'est très commode, explique Pointu, et il montre à Follet comment, lorsqu'il ferme son manteau, il devient une grosse boule piquante dont aucun méchant ne peut s'approcher. Follet n'en revient pas. Comme c'est intéressant tout ce qu'on apprend dans un jardin ! Mais l'heure passe et le soir tombe. Il va falloir remonter sur le mur. Follet est inquiet.

— Ne t'en fais pas, dit Puick, je vais aller parler au grand chêne. Il t'aidera…

Sur leur chemin, les fleurs se bousculent pour mieux les voir. Tout le jardin ne parle que de Follet. Les soucis et les lupins ont raconté aux rosiers grimpants que Follet est le plus joli petit chat qu'on ait jamais vu… Même le grand chêne le sait : le pommier le lui a dit. Follet, Puick et Pointu arrivent au pied de l'arbre.

Puick prend la parole :

— Grand chêne, notre ami Follet nous a rendu visite aujourd'hui. Il est encore bien petit et ne sait comment remonter sur le mur pour rentrer chez lui. Veux-tu l'aider, s'il te plaît ?

— Bien sûr, répond le chêne de sa grosse voix, et, se tournant vers Follet : grimpe sur mon large tronc, et de là sur ma grosse branche.

Voilà qui est fait. Follet est assis sur la branche. Il remercie chaleureusement ses nouveaux amis.

— Au revoir ! Au revoir ! lui crient les capucines, les lupins et les soucis.

— À bientôt ! ajoute le pommier.

— Reviens vite ! rappellent Puick, Pointu et Reinette.

Avec beaucoup de précautions, le chêne étire sa branche en direction du mur. Follet n'a plus qu'à regagner l'échelle. Il se retourne une dernière fois vers le jardin. Quelle belle journée c'était !

jean-lou et sophie

au bord de la rivière

MARCEL MARLIER

– Sophie, que fais-tu ainsi, la tête en bas ? demande Jean-Lou.
– Je regarde les reflets du soleil et les ombres dans la rivière. D'ici, je te vois comme dans un miroir.
– Cela doit être amusant !
Tu sais, il y a des tas de choses curieuses à découvrir au bord de l'eau.
Partout dans le monde il y a des rivières, calmes ou agitées. Chacune porte un nom. Chaque cours d'eau, qui est d'abord une source, est différent des autres. Celui-là sculpte d'étranges statues comme celles du Bryce Canyon, aux États-Unis. Un autre creuse des gorges profondes comme celles du Verdon, dans le Midi. Certains rebondissent de cascade en cascade et font un bruit de tonnerre.
– J'aimerais voir toutes ces belles choses, dit Sophie… Mais, j'y pense, et les oiseaux ?
– Quoi, les oiseaux ? demande Jean-Lou.
– Eh bien oui, dit Sophie, les cascades cela fait du bruit. Et on dit que les oiseaux ont peur du bruit…

MARLIER

le Bryce Canyon

les gorges du Verdon

– Mais pas du tout, dit Jean-Lou, certains oiseaux, comme le cincle plongeur, aiment à chanter au bord des eaux tumultueuses.

– Et ils n'ont pas peur ? s'étonne Sophie.

– Pas le moins du monde, affirme Jean-Lou.

– Parfois même, le cincle plongeur construit son nid sous une cascade. Souvent, il a pour voisine la bergeronnette des ruisseaux, si légère, si gracieuse, qu'en Italie on la surnomme « la ballerina ». Mais comme elle remue sans cesse sa longue queue, nous l'appelons hochequeue.

– Mais dis-moi, Jean-Lou, les oiseaux des torrents, que mangent-ils ? demande Sophie, toujours curieuse.

le cincle plongeur et son nid

– Des petites écrevisses (homards d’eau douce), des larves d’insectes appelés phryganes et des œufs de poissons, répond Jean-Lou.

le hochequeue et son nid

– Des poissons ? s’étonne Sophie. Comment un poisson peut-il vivre dans une eau si agitée ?

– Cette eau convient parfaitement aux poissons comme la truite et à certains crustacés comme l’écrevisse.

La larve de phrygane, qui ne possède pas, comme l’écrevisse, une carapace naturelle, se protège en construisant autour d’elle une sorte d’étui formé de grains de sable, de menus coquillages ou de brindilles.

larves de phryganes dans leur fourreau protecteur

écrevisses ou homards d’eau douce

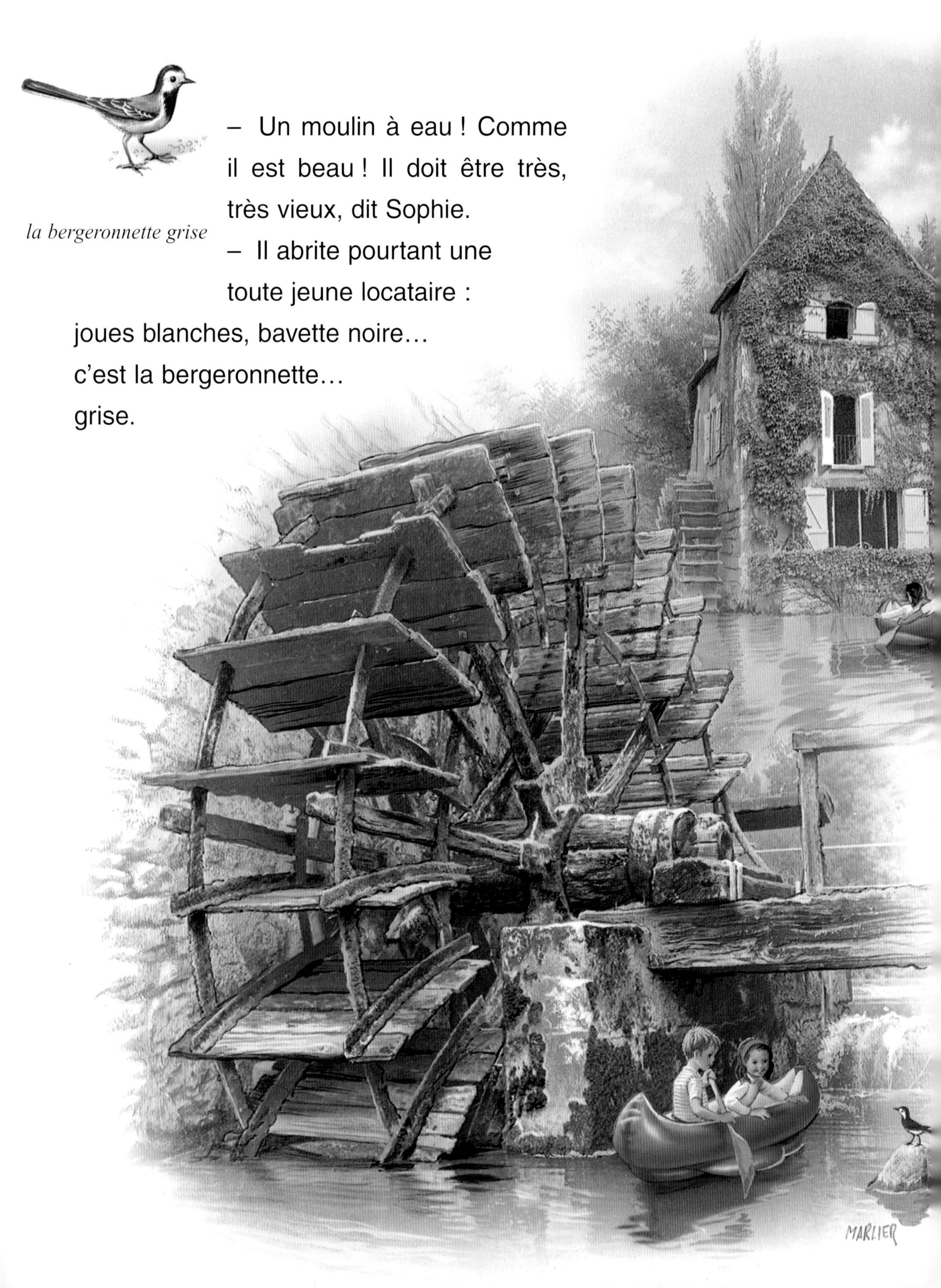

la bergeronnette grise

– Un moulin à eau ! Comme il est beau ! Il doit être très, très vieux, dit Sophie.

– Il abrite pourtant une toute jeune locataire : joues blanches, bavette noire… c'est la bergeronnette… grise.

la mouette rieuse

– Mais… nous nous sommes perdus ? dit
Sophie, l'air effrayé. Regarde là-bas :
des mouettes !
– Oui, je vois, ce sont des mouettes rieuses,
dit Jean-Lou. Je les trouve bien jolies
avec leur petit capuchon.
– Tu ne comprends donc rien, reprend Sophie, rien de rien!
S'il y a des mouettes, c'est que tu as ramé trop loin;
nous approchons de la mer.
– Tu t'alarmes pour rien, dit Jean-Lou;
depuis longtemps, les mouettes rieuses
ont pris l'habitude de remonter
nos rivières.
– Ouf ! J'ai eu peur,
dit Sophie, rassurée.

Sur son nid flottant
(radeau de plantes
aquatiques amarré aux roseaux), voici le grèbe huppé.
Bili bili bili, piaillent les petits ; cela veut dire :
– Dis maman, tu nous emmènes faire une promenade ?

– Regarde, dit Sophie, une bête tout en jambes qui glisse en zigzaguant sur l'eau; on dirait un petit patineur.
– Cet insecte est un gerris, dit Jean-Lou. Et celui-là qui tourne, tourne sans cesse, on l'appelle gyrin ou tourniquet.
– Là-bas, c'est une libellule, s'écrie fièrement Sophie. Sous les dalles rondes des nénuphars, maman demoiselle dépose ses œufs. Papa l'agrippe par le cou, prêt à l'emporter à la moindre alerte.

3
2
6
4
5
1
7

– L’œuf de la charmante libellule donne naissance à une vilaine nymphe (1), dit Jean-Lou.
Celle-ci possède une curieuse lèvre inférieure, très longue, et qui se replie sous la tête.
Qu’une proie vienne à passer : hop ! la lèvre se détend comme un ressort, et la saisit.
– C’est affreux ! dit Sophie.
– Après deux ans, la nymphe sort de l’eau et se sèche au soleil. Sa peau craque et il en sort…
– Une ravissante libellule (2-3).
– L’insecte aquatique le plus féroce, c’est le dytique (5).
Avec ses mâchoires puissantes, il attaque les nymphes de libellule, les petits poissons et même les grenouilles.
Voici sa larve (4).
Et voilà deux punaises d’eau : la corise (7), le notonecte (6).
Elles se ressemblent, mais le notonecte peut marcher à l’envers sous la surface de l’eau, comme une mouche au plafond.

1
2
3
4

– Comme j'aimerais nager sous l'eau, dit Jean-Lou. Voir la jolie truite mouchetée (1), la carpe (2) avec ses barbillons de chaque côté de la bouche, la perche (3) dorée et le roi des poissons d'eau douce : le vorace brochet (4). Ses redoutables mâchoires comptent pas moins de sept cents dents !
Oh, regarde : un martin-pêcheur. Il scrute le fond de la rivière. Passe un goujon, hop !… l'oiseau plonge, rapide comme l'éclair.

Une patte raide posée au fond de l'eau, l'autre repliée sous le ventre, le dos rond, le regard attentif, le héron cendré est aux aguets. Une brusque détente du cou, un rapide coup de bec : un poisson est harponné. L'oiseau le lance en l'air, le rattrape au vol et le broie entre les tenailles cornées de ses mâchoires.

– J'ai déjà entendu parler, dit Sophie, de ce « héron au long bec emmanché d'un long cou ».
C'est le plus bel oiseau de la rivière.
– Dans le Midi, répond Jean-Lou, qui connaît décidément beaucoup de choses, il existe un oiseau au plumage si riche, si chatoyant qu'on le surnomme « oiseau arc-en-ciel ».
Cet oiseau, c'est le guêpier.

– Qu'elle est drôle,
la loutre avec ses
grosses moustaches !
dit Sophie.
– Elle s'abrite dans
les terriers,
les arbres creux
des bords de l'eau.
Ses pieds palmés,
sa large queue, en
font un champion des
sports aquatiques
et de la pêche.
Aussi le poisson est-il
sa nourriture préférée,
poursuit Jean-Lou.
La loutre aime jouer,
elle apprend très tôt
à ses petits le jeu de
la glissade, en se
servant d'un talus
ou de la berge
comme d'un toboggan.
Grande voyageuse,
elle se déplace
surtout la nuit.

– Peut-on imaginer un nid plus douillet que celui de la petite mésange penduline ?

– Non, bien sûr, dit Sophie pleine d'admiration.

Mais le soir commence à tomber : il est temps de rentrer à la maison. Quel dommage !

– Ne sois pas triste, répond Jean-Lou. Nous reviendrons bientôt…

jean-lou et sophie

à la montagne

MARCEL MARLIER

Jean-Lou et Sophie passent des vacances à la montagne.
Aujourd'hui ils vont faire une promenade en pleine nature.

— Nous en verrons des bêtes, là-haut, s'écrie Sophie toute joyeuse.

— Hum ! Elles sont craintives, et sur la neige tes collants rouges seront plus visibles qu'une tache d'encre sur un cahier neuf, répond Jean-Lou qui aime taquiner Sophie.

Nos amis sursautent : près d'eux, un grand oiseau, le cou tendu, la queue en éventail, lance un appel sauvage, étrange.

— C'est le coq de bruyère ou grand tétras, dit Jean-Lou. Il fête le printemps.

— Oh ! des oiseaux de paradis, s'écrie Sophie émerveillée.
— Mais non, ce sont les tétras-lyres. Quand les bouleaux bourgeonnent les coqs chantent. Ils trépignent, ailes écartées, queues déployées, sautant tournant frémissant.
— Mais... mais regarde voilà qu'ils se battent !
— Eh oui, dit Jean-Lou, et les petites poules rousses, tapies dans les hautes herbes, caquettent pour encourager les combattants.
Elles attendent le vainqueur.

Au détour du sentier, Jean-Lou et Sophie s'avancent avec précaution. Ils aperçoivent une mère lièvre et ses trois levrauts qui lissent leur pelage.

— Ce sont des lièvres variables, chuchote Jean-Lou. L'hiver, ils sont tout blancs ; ainsi, dans la neige, on ne les voit pas. Dès que la neige fond, ils prennent un costume beige.

Que se passe-t-il ? Maman lièvre dresse les oreilles et sa lèvre fendue tremble.

Un oiseau surgit, énorme, fantastique : l'aigle royal. La faim le tenaillait. Il planait très haut, cherchant une proie. Là, tout en bas, ces quelques levrauts feraient bien son affaire. Alors il descend silencieusement derrière le promontoire, vole en rase-mottes et saute brusquement d'un versant à l'autre pour fondre sur sa proie.
Mais, oh surprise ! l'oiseau se trouve en face de deux petits diables hurlants et gesticulants : Jean-Lou et Sophie.

Alors tout se passe très vite ; on assiste à une course folle : les enfants qui chassent l'aigle... qui poursuit les levrauts... qui fuient ventre à terre.

L'aigle abandonne la partie. Le torrent, lui, n'a rien vu. Il est trop occupé à se battre avec les blocs de pierre qui lui barrent la route. Ne dirait-on pas qu'il écume de rage ?

Longtemps, Jean-Lou et Sophie remontent le cours du torrent. Ils découvrent enfin, couché entre deux montagnes, un géant de glace : le glacier. Ils sont tout petits sur son dos…

— Le géant n'est pas aussi immobile qu'il en a l'air, explique Jean-Lou. Il glisse centimètre par centimètre sur son lit de roche, descend vers la vallée où il va fondre. Déjà son grand corps craque, se crevasse de toute part.

— C'est profond, profond, je n'ose plus regarder !

Sophie s'accroche à son frère.

Dans la haute vallée, la perdrix des neiges – appelée aussi lagopède – veille sur ses poussins.

— Ne bouge pas, Sophie, c'est un oiseau très timide. Pour passer inaperçu, il possède trois plumages : blanc, l'hiver, sur la neige blanche ; roux, l'été, sur les roches rousses ; et au printemps, bariolé de blanc et de brun, comme le sol recouvert des dernières plaques de neige.

Dans sa coquille de pierre dort le lac de montagne.
— Comme tout est calme ici, dit Sophie tout bas. Et comme l'eau est claire... Claire et froide ! Brr !

Près du lac, quatre ou cinq chocards s'amusent. Ils descendent en vrille, glissent en feuilles mortes, piquent les ailes à demi fermées, culbutent sur le dos, effectuent quelques loopings, remontent en chandelle.
— Quels acrobates !
dit Jean-Lou admiratif.

Soudain, un roulement. Qu'est-ce donc ?… Une avalanche ? Non, seulement quelques cailloux qui, détachés du rocher en surplomb, dévalent la pente, rebondissent… et, plouf ! font mouche au centre du petit lac.

Du coup, il s'éveille, se ride, brouille ses reflets.

À la même seconde, plusieurs silhouettes cornues se profilent sur le ciel.

— Des bouquetins, dit Sophie ravie.

tichodrome

Les chèvres et les jeunes se tiennent à l'abri des rochers et des buissons. Les chevreaux nouveau-nés sont menacés par mille dangers. Les aigles surtout qui apprécient cette chair tendre. En cas d'attaque, la maman couvre son petit de son corps puissant. Les mâles et les vieux solitaires se tiennent tout le jour sur les plus hautes cimes. Malgré son allure massive, le bouquetin peut franchir d'un bond des distances considérables. Au moins vingt mètres.

Jean-Lou ajuste ses jumelles et découvre… devinez quoi ! Un adorable petit chamois qui vient de naître.
Le cabri est encore tout maladroit sur ses jambes vacillantes ; pensez donc, c'est la première fois qu'il se tient debout.
Maman chamois regarde son petit avec tendresse.
Il lui faudra être vigilante, surveiller ses moindres pas, le mettre en garde contre les embûches de la montagne et les risques de ses courses folâtres.
Le chamois est une bête tout en finesse, d'une timidité extrême, et si sensible qu'il peut mourir de peur.

Les marmottes
à croupetons mâchouillent
des brins d'herbe et des
fleurs qu'elles tiennent dans
leurs petites mains. Elles sont comiques
avec leurs allures pataudes. Comiques peut-être,
mais prudentes : la grand-mère, placée en sentinelle
sur le promontoire, sifflera au moindre danger pour
donner l'alarme à toute la colonie.

— Attention ! crie Jean-Lou.
— Alerte ! Alerte ! siffle grand-mère marmotte. En un tourne-pattes, toutes les bêtes disparaissent avec ensemble dans leur tanière. Ouf ! Il était temps !
Une ombre passe sur les enfants.
— Encore lui ! crie Sophie. Va-t-en, méchante bête !

L'aigle ne s'attarde pas davantage, reprend de la hauteur et s'éloigne, majestueux.

— Tu es injuste avec cet oiseau. Là-bas, dans son aire, les aiglons crient famine.
Sophie est toute triste :
— Pourquoi faut-il qu'il y ait des bêtes qui mangent d'autres bêtes ? Ce n'est pas juste ! Tout le monde devrait manger de l'herbe... ou de la salade. Qu'en penses-tu ?

Chaque animal, dit Jean-Lou, a un rôle à jouer. Ainsi, l'aigle s'empare de préférence des bêtes malades ou trop faibles. Cela empêche les épidémies.
Le vautour fauve, un autre rapace, se nourrit de la chair des cadavres. Il en laisse les os au gypaète, dont l'estomac est capable de les digérer.

— Le soir tombe,
il va falloir rentrer,
ne pas se laisser
surprendre par la
nuit dit Jean-Lou.
Là-bas, des corbeaux
ont découvert la
retraite du grand duc.
Ils le houspillent.

Ce ne sont que battements d'ailes et claquement de becs furieux. Les imprudents !... Dans quelques heures viendra le règne des bêtes de la nuit. L'œil rond du grand duc s'allumera, et d'un vol feutré l'oiseau partira en chasse. Dans la montagne, les champs, les bois, les bêtes sont toujours aux aguets, pour tuer, pour se défendre.

En un mot, pour survivre. Et dans ce combat de tous les instants, il n'y a ni bons ni méchants ! C'est la loi de la nature.

jean-lou et sophie

au jardin de lilliput

MARCEL MARLIER

— Bonjour. Qui es-tu ? demande Jean-Lou.

— Je suis le lapin blanc. Je suis celui qui sort du chapeau. Hi ! Hi ! Hi !

— Qu'est-ce qui te fait rire ?

— Tout et rien : la vie est belle, les fleurs sont jolies.

— Tu es gai... libre... alors que nous, on s'ennuie ici, dans le jardin, soupire tristement Sophie.

— Le jardin vous paraît trop petit parce que vous êtes grands, dit le lapin. Mais... attendez... j'ai une idée. Vous allez répéter avec moi, trois fois, en ar.. .ti. ..cu. ..lant bien : « Rabougri et rabougrand, par la vertu du lapin blanc. »

Rabougri... une fois. Rabougri... deux fois. Rabougri... trois fois. Sophie écarquille les yeux. Le lapin blanc a disparu. À sa place, sur le chemin, quatre boules énormes, aussi grandes que les enfants.

Jean-Lou s'approche :

— On dirait... on dirait... des crottes de lapin !

Soudain, on entend un bourdonnement : des insectes géants atterrissent. Le corps arrondi, noir et brillant, les pattes courtes et puissantes, munies d'épines... Ils s'affairent, creusent une fosse, y font rouler les boules.

Sophie s'affole, prend peur.

— Vite, cachons-nous derrière le saule.

Mais... il n'y a plus de saule ! Là où il était se dresse à présent une muraille rocheuse.

Sophie aperçoit, tout en haut, une grotte. Elle grimpe... grimpe... aussi vite qu'elle peut, pour y trouver refuge.

Mais une lourde porte de bois lui barre le passage.

Elle frappe, boum !... boum !... boum !... En vain.

Jean-Lou, lui, n'a pas peur du tout.

Assis bien tranquillement, il regarde et se dit : « J'ai l'explication de tout cela. La formule magique nous a rendus petits, tout petits, de la taille d'un pois. Et ce que nous croyons être un rocher, c'est tout simplement l'écorce du saule : nous avons escaladé l'arbre du jardin ! »

les forficules

— Et toi, je te reconnais, dit Jean-Lou. Tu es le forficule, tu te dissimulais sous l'écorce. Je regrette de t'avoir dérangé. On t'appelle aussi perce-oreille. Pourtant tu n'en as jamais percé aucune, je sais que tes pinces ne servent qu'à plier et déplier tes ailes. Je sais aussi que madame perce-oreille est une vraie mère poule pour ses petits.

— Au secours !... à l'aide !... les Martiens sont là, ils nous envahissent ! hurle Sophie.

fourmi en position de défense

— Pas de panique ! dit d'une voix pointue Épeire l'araignée. Tes Martiens ne sont en fait que des fourmis, effrayées par tes cris.
Mais toi, tu es devenue aussi petite qu'elles. Et je parie cent mouches que c'est encore un tour de ce farceur de lapin blanc.
— C'est génial ! dit Jean- Lou, nous pouvons observer les insectes de tout près... sans loucher !
— Votre jardin, ajoute l'araignée, est un monde avec des milliers d'habitants. Chaque fleur, chaque brindille cache une vie fragile et merveilleuse.
— Oh, je veux les voir, tous ces habitants du jardin, je veux les connaître ! s'écrie Sophie. Seulement... j'ose plus descendre.
— Je vais t'aider, dit Épeire. Suspends-toi à mon fil.

Un coup de vent, et Sophie atterrit dans le carré de luzerne. Jean-Lou l'y rejoint.

— Impossible d'avancer, constate-t-il en écartant les herbes. Nous n'avons que deux pattes et elles sont vraiment trop courtes.

— Je ne vois qu'une solution : faire du stop, dit Sophie.

— Voilà justement ce qu'il nous faut : une caravane !

— Montez, montez, je vous en prie, offre gentiment l'escargot. Êtes-vous bien installés ? Alors... on démarre !

— Tu n'as pas oublié de desserrer le frein ? demande Sophie.

— Qui va doucement va longtemps, répond l'escargot. J'y regarde toujours à deux fois avant de poser mon pied.

Mes ennemis sont partout... à la moindre alerte, je rentre le périscope, et au revoir, je ferme la porte à double tour.
Au bord de la mare, l'escargot s'arrête et dit :
— Pour moi, le voyage se termine ici. La journée s'annonce chaude et ma coquille craint le soleil : ses rayons la chaufferaient comme un four. Je préfère l'ombre humide. Les grenouilles aussi !

les barbitistes

Jean-Lou et Sophie, eux, apprécient la chaleur du soleil. Ils remercient l'escargot et continuent seuls l'exploration du jardin. Ici, dans les buissons de mûres, les barbitistes, verts dans le feuillage vert, grimpent lentement. Si lentement que c'est à peine si on les voit bouger.

lucanes cerfs-volants

Là-bas, sur les branches du vieux chêne, les lucanes se livrent un combat furieux. On entend claquer les mandibules.

Ainsi, partout dans la végétation, les enfants devinent une vie intense. Entre les racines, sous l'écorce, sur les feuilles et même dans le cœur des fleurs, de petits êtres s'affairent.

— Pour mieux voir tout cela, il nous faudrait des ailes, dit Jean-Lou.

— Oh mais des ailes, j'en ai, j'en ai même deux paires ! dit une guêpe qui butinait les ombellifères. Je peux vous les prêter.

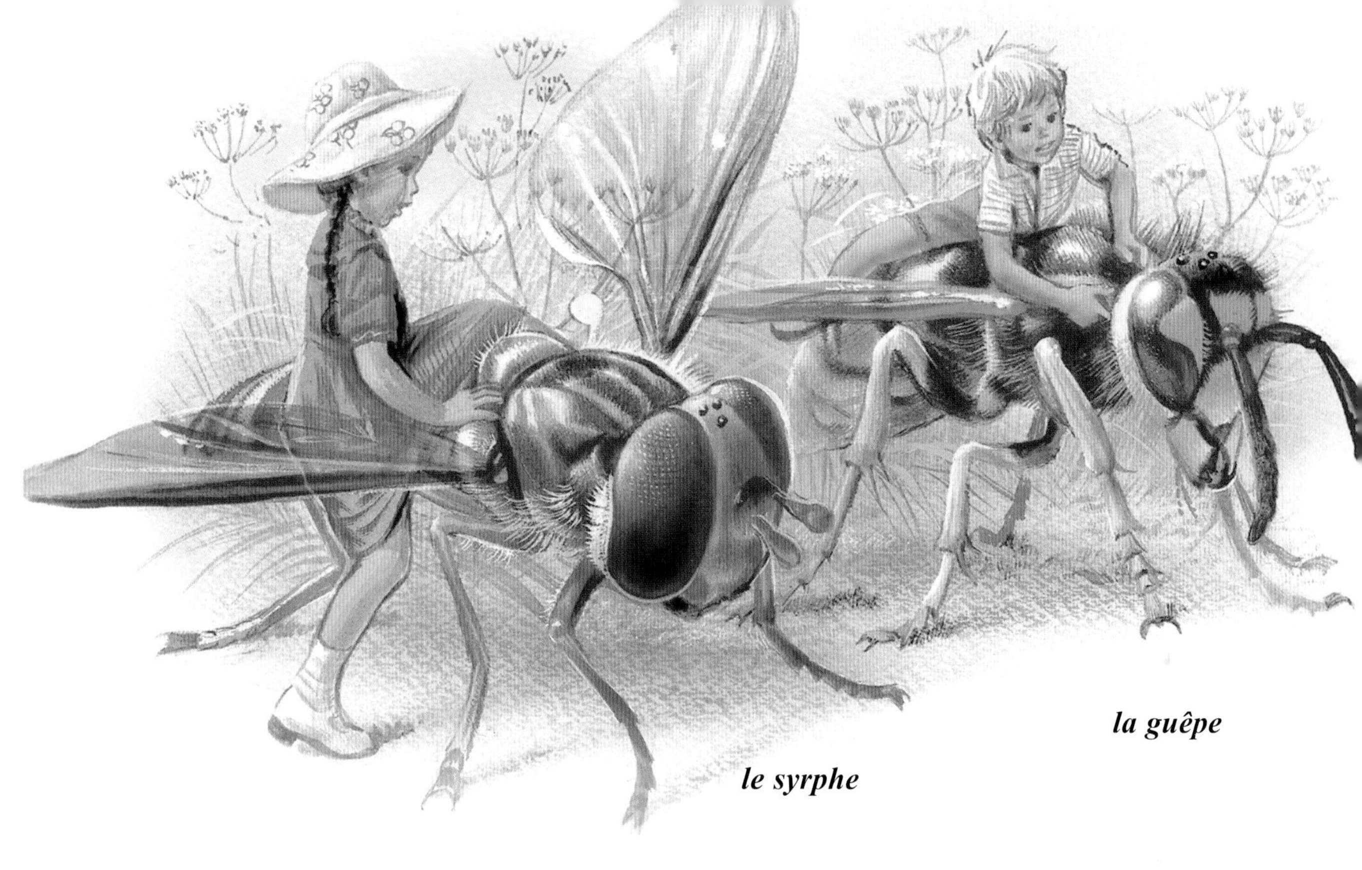

— Moi, je n'ai que deux ailes, dit le syrphe. Mais je sais faire du surplace, comme un hélicoptère ou un oiseau-mouche.

— Pour tout observer, ça doit être drôlement pratique, remarque Sophie.

— Une petite randonnée te ferait plaisir ? Alors monte sur mon dos. En te servant de mes balanciers, tu pourras diriger le vol : à gauche, à droite, comme tu veux.

— Maintenant, en route vers les fleurs, en route vers le soleil ! s'écrie Jean-Lou.

— Tu es une mouche, dit Sophie au syrphe, et pourtant tu ressembles à la guêpe ou au frelon. Pourquoi ?

— C'est que je n'ai pas d'aiguillon, et comme la guêpe en possède un, je me déguise. Cela intimide mes ennemis.

— Es-tu un insecte utile ?

— Bien sûr, puisque mes larves se nourrissent des pucerons dévoreurs de plantes.

— Bravo ! Les pucerons et les chenilles, j'aime pas ça.

l'ichneumon

— Tu oublies que la chenille se métamorphose en un splendide papillon.

— Oui, c'est vrai, dit Sophie. Mais avant cela, elle métamorphosera les pauvres choux de grand-père en dentelle vénitienne.

— Heureusement, ma cousine Ichneumon veille, dit fièrement la guêpe. À l'aide de sa fine tarière, elle dépose ses œufs dans le corps des chenilles. Ainsi elle les détruit en grand nombre.

— Connais-tu un petit insecte tout rond, aux élytres bombés, plus rouges que les pommes du verger ? demande la guêpe.

— Bien sûr, c'est la jolie coccinelle, répond Sophie.

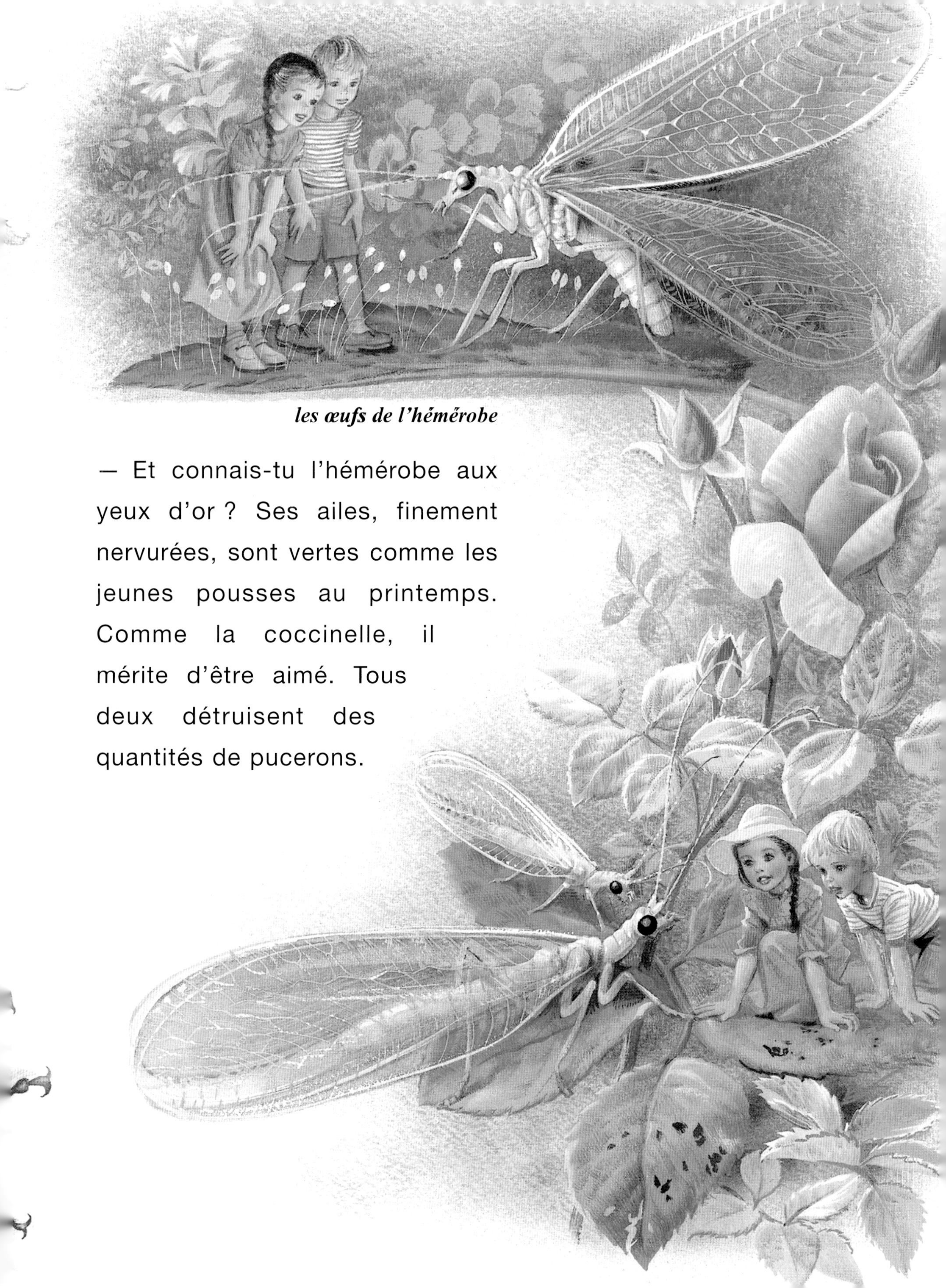

les œufs de l'hémérobe

— Et connais-tu l'hémérobe aux yeux d'or ? Ses ailes, finement nervurées, sont vertes comme les jeunes pousses au printemps. Comme la coccinelle, il mérite d'être aimé. Tous deux détruisent des quantités de pucerons.

— Jean-Lou, tu entends ? La terre tremble !

Boum !... BOUM !... BOUM !

— C'est un géant qui s'approche ! hurle Sophie.

— Un géant ? Non, c'est grand-père !

Mais il ne nous voit pas. Il va nous écraser ! Grand-père ! grand-père ! Attention, on est ici ! C'est nous, c'est Jean-Lou et Sophie !

Il ne nous entend pas. Il faut absolument reprendre notre taille. Mais comment ? Où est le lapin blanc ?

— Il faut rompre l'enchantement, affirme la guêpe. Essayez donc de prononcer la formule qui vous a rendus petits... mais cette fois, dites-la à l'envers !

— Grandboura et griboura, crient en chœur les enfants.

Rien ne se passe. Les sabots de grand-père approchent... approchent... dangereusement.

La formule serait-elle incomplète ?

— Mais bien sûr, nous avons oublié : « par la vertu du lapin blanc ».

À ces mots les enfants grandissent, grandissent.

— Sauvés ! Nous sommes sauvés !

Grand-père, surpris, ouvre des yeux tout ronds... et se retrouve assis dans les pâquerettes.

— Grand-père, voyons ! dit Sophie, tu risques d'écraser nos amies les fourmis.